개가 마당으로
들어와요.

마당 여기저기를
돌아다녀요.

무언가를
찾고 있나 봐요.

저기 모자가 있어요.

모자를 찾고
있었나 봐요.

모자가 바람에
날아가요.

이 책은

_____ 의 것입니다.

모자

ⓒ 김미혜, 차선희, 2025

2025년 11월 3일 처음 펴냄

글쓴이 김미혜 | **그린이** 차선희 | **편집** 이진주 | **디자인** 더디앤씨 | **인쇄** 보명C&I | **제작** 세종PNP
펴낸이 김기언 | **펴낸곳** 교육공동체 벗 | **이사장** 오정오 | **사무국** 최승훈, 설원민, 공현
출판등록 제2011-000022호(2011년 1월 14일) | **주소** (03998) 서울시 마포구 월드컵북로7길 76-12 102호
전화 02-332-0712 | **전송** 0505-115-0712 | **홈페이지** communebut.com

ISBN 978-89-210-2 67700
ISBN 978-89-195-2(세트)

모자	BFL	2
	어절 수	20

사용 연령
6세 이상

값 2,300원

ISBN 978-89-6880-210-2
ISBN 978-89-6880-195-2 (세트)